이브 클랭의 시대들

유명한 화가 부모님 두기의 시대

예술의 복잡한 문제 우회의 시대

왼손으로 글 쓰는 법 배우기의 시대

아일랜드어 일기의 시대

매일 저녁 식사 후 장미십자회 공부하기와 다음 날 캘리포니아 장미십자회 본부에 편지 쓰기의 시대

교묘한 자아 길들이기의 시대

몸의 물리적 원자 하나하나를 온화한 공간을 쉽게 떠다닐 수 있는 생명체로 변화시키기의 시대

악마처럼 웃는 가면 채택의 시대

마음속 깊은 곳에서 웅웅거리는 많은 목소리의 시대

고도칸 유도협회[1] 등록하기의 시대

칼슘 주사와 암페타민의 시대

유도 검은띠 4단의 시대(로즈 이모가 마련해준 허세)

로즈 이모에게 갖은 응석 부리기의 시대

미친 듯이 떠받듦 요구하기의 시대

파리 지식인 계급의 비웃음을 사지 않도록 장미십자회 신앙을 현상학적 용어들로 위장하기의 시대

선은 색을 시기하고 선은 우주 관광객이라고 결정하기의 시대

파랑 강박의 시대

자기 신화화의 시대

인터내셔널 클랭 블루(이후 IKB)[2] 특허 등록의 시대

중력의 끝과 공중 부양 시작의 시대

즉석 불 그림의 시대

일반 금과 철학자의 금 구분의 시대

카뮈로부터 칭찬받기의 시대

일주일 동안 허공 칵테일 마시기와 파란 오줌 누기의 시대

이 세계에서 진정으로 자유롭지 않기의 시대

장미십자회가 시간 낭비임을 깨닫고 바슐라르로 전환하기의 시대

모든 걸 먹어치우는 하늘의 문에 귀 쫑긋 세우기의 시대

불을 어떻게 할지 잡을지 아니면 자신을 던질지 결정의 시대

여자들을 대하는 비극적 재주의 시대

거대한 스펀지 부조의 시대

마스크 없이 하루에 열두 시간씩 합성수지로 작업하는 것의 위험을 아무도 모르기의 시대

이탈리아 카시아 여행과 리타 성녀에게 금괴 네 개 바치기의 시대

아이젠하워와 흐루쇼프에게 프랑스 정부의 소멸을 알리는 편지 쓰기의 시대

압축 기류를 이용한 도시 건설 계획 제안의 시대

로즈 이모에게 시트로엥 사달라고 하기의 시대

'겸손'이라는 단어로 공책 몇 쪽 채우기의 시대

친구들과 자존심 충돌의 시대

자기 신화를 처음부터 끝까지 밀고 가야 함(희생) 깨닫기의 시대

단색화가에게 기대되는 고요나 균형 같은 자질이 하나도 없음의 시대

단 하나의 본질과 계약한 자신의 내면세계 느끼기의 시대

갤러리에서 자기 작품을 모두 치우고 구매자들에게 앞으로의 그림은 비물질적임(하지만 물질적인 수표로 구매할 수 있음) 알리기의 시대

센 강변에 서서 하늘의 반대쪽으로 가는 표를 일정량의 금을 받고 팔고 받은 금은 곧바로 강에 던지기의 시대

점점 적어지는 사람들을 대상으로 자신의 '체계'와 '예언적 토대' 연설하기의 시대

바슐라르를 만나 미친 사람이라는 진단을 받고 아파트에서 쫓겨나기의 시대

비물질성을 향한 예술의 진화에 관해 소르본대학교에서 강의하고 프랑스의 모든 것을 재정비해야 한다고 제안하기의 시대

모노골드라 불리는 작품의 시대

멀찍이 떨어진 채 벌거벗은 여자들에게 몸에 푸른 물감을 바른 다음 종이판에 대고 찍으라고 손짓으로 지시하는 관음병자의 시대

캔버스를 빗속에 내놓기의 시대

로즈 이모에게 돈 요구하기의 (계속 이어지는) 시대

유도 포기의 시대

내적 균형 상실의 시대

친구들로부터 편집증으로 여겨지기의 시대

오래된 비상(飛上)의 꿈으로 복귀하기의 시대

발아래 벽 장식띠를 따라 사진을 합성한 선이 보이는 유명한 사진(허공으로의 도약)의 시대

그의 도약을 아무도 믿어주지 않기의 시대

그물과 사진작가들과 그를 받아내기 위한 열두 명의 유도인들과 함께한 두 번째 도약 상연의 시대

허위와 갈망에 찬 자신이 얼마나 날카로운지 깨닫지 못하기의 시대

잠을 이루지 못하는 밤에 절망에 무너지지 않기 위해 쓴 글들로 채워 어느 일요일 아침에 파리 신문가판대에 배포한 가짜 신문《단 하루의 신문 디망슈》의 시대

불의 벽과 불의 분수와 불로 그림 그리기의 시대

친구들과 여자들과 하인들 주위로 갈수록 더 많은 군중이 모이기를 요구하기의 시대

(마침내!) 뉴욕 전시(1961년 카스텔리 갤러리에서 열린 〈모노크롬〉 전시)와 최초의 유인 우주비행의 시기가 겹치기의 시대

뉴욕에서 냉혹한 비평의 시대

유도 기술로 뉴욕의 어느 미술평론가 때려눕히기의 시대

샌프란시스코만에서 라이플총으로 상어 쏘기의 시대

그림 포기와 땀 또는 피, 가장 강인한 모델들의 생리혈로 작업하기의 시대

일본에서 어린 클랭 모방자가 창문으로 뛰어내려 사망에 이르기의 시대

피를 묻혀 찍은 작품들이 악마적이라 판단하고 불태우기의 시대

여자친구와 결혼하기의 시대

어느 이탈리아인 감독에게 자기 삶을 영화로 만드는 것을 허락하고 그 감독이 작품(〈몬도카네〉)을 기괴한 코미디로 바꾸어 칸영화제에서 전시하기의 시대

끔찍한 울화와 창백한 얼굴의 (계속되는) 시대

갑작스러운 흉통의 시대

모든 청구서의 대금을 지불하고 모든 편지에 답장하고 태어나지 않은 아들 이름 짓기의 시대

갑작스러운 미술상 교체의 시대

새벽 세 시에 문을 두드리는 정체 모를 노크 소리의 시대

지금부터는 비물질적인 작품만 만들겠다는 결심의 시대

늦은 오후에 일어난 심장마비의 시대

실제로 죽은 것이 아니라 죽은 것처럼 꾸몄으리라 의심하는 친구들의 시대

하나같이 말라르메의 말을 인용하는 사람들로부터 추앙받기의 시대

더 오래 살았더라면 무슨 일을 했을지에 관한 다양한 견해의 시대

[1] 고도칸 유도협회(Kodokan Institute of Judo, 講道館)는 일본에 본부를 둔 세계적인 유도 조직이다.

[2] 이브 클랭(Yves Klein, 1928~1962)은 프랑스의 예술가로 20세기 중반 전후 유럽에서 두각을 드러냈다. 퍼포먼스 예술의 선구자로 불리며 미니멀리즘 예술과 팝아트에 영감을 주었다고 평가된다. 1949년부터 단색화를 그리기 시작했으며 즐겨 쓰던 라피스라줄리 계열의 고유한 파란색을 International Klein Blue(IKB)라는 이름으로 특허 등록했다. 물질적 실체가 없는 작품을 금을 받고 판매하고 받은 금을 센강에 던져버리는 등의 기행과도 같은 퍼포먼스들로 유명하다.